D1298437

El viaje.com

El viaje.com

Margarita Londoño

Ilustraciones de Rafael Yockteng

www.edicionesnorma.com

Bogotá, Buenos Aires, Ciudad de México,
Guatemala, Lima, San José, San Juan, Santiago de Chile

Londoño, María Margarita
El viaje.com / Margarita Londoño ; ilustraciones Rafael
Yockteng. -- Bogotá: Educactiva S. A. S., 2007.
    112 p.: il. ; 20 cm. -- (Colección torre de papel. Torre Azul)
    ISBN 978-958-04-9846-9
1. Cuentos infantiles colombianos 2. Internet - Cuentos
infantiles 3. El Cairo (Egipto) - Cuentos infantiles
I. Yockteng,
Rafael, 1976, il. I. Tít. II. Serie.
I863.6 cd 21 ed.
A1102464

CEP-Banco de la República-Biblioteca Luis Ángel Arango

Ilustraciones: Rafael Yockteng
Edición: Cristina Puerta Duviau
Diagramación y armada: Andrea Rincón
Diseño de cubierta: Patricia Martínez

61075784
ISBN 978-958-04-9846-9

Contenido

Juanito el internauta

Juanito Pinzón se sentó como todos los días frente al computador. Preparó sus manos haciéndolas crujir con una dramática torcedura de los dedos y se dispuso a navegar muchas horas por internet. Esto se había convertido en el peor problema para sus padres que no se resignaban a verlo alelado frente a la pantalla horas de horas, mientras sus cuadernos y libros descansaban por ahí, abandonados dentro de la mochila en algún rincón de su desordenada habitación.

Realmente decir que la habitación de Juanito Pinzón era desordenada es una equivocación mayor. Todas sus cosas guardaban un riguroso orden que sólo él conocía y en medio del cual sólo él encontraba lo que quería. Porque, eso sí, Juanito gozaba de una prodigiosa memoria que le permitía acordarse de que había dejado el soldadito de colección junto a una cauchera que le había regalado un niño campesino en una excursión a los farallones de Cali, hacía dos años. Y que ambas cosas estaban junto a la pata izquierda superior de su cama. También sabía perfectamente que el cuadro con el resultado de goles de los equipos de fútbol estaba cuidadosamente doblado dentro del cuaderno de Matemáticas del año pasado, colocado debajo de los CD dentro de una caja de galletas vacía que se encontraba al fondo del último cajón de su clóset. Y así Juanito mantenía un orden lógico de alianzas entre juguetes, objetos útiles y curiosidades inútiles que tenían en su memoria un código de búsqueda más perfecto que el de su computador. Entre otras razones, porque podía referenciar la búsqueda a situaciones que sólo él conocía. Le bastaba con recordar en qué momento

había juntado dos objetos, para que en su memoria se hicieran presentes y aparecieran milagrosamente ordenados los datos de dónde los había puesto y cuándo los había usado por última vez. Esta memoria de prodigio lo había salvado muchas veces frente a los profesores y con ella lograba que su mamá aceptara a regañadientes que no iba a perder el año. Pero, sobre todo, con ella había convencido a todos en la casa de que no le tocaran sus cosas porque se las embolatarían si las llegaran a cambiar de sitio.

—Es que soy ordenado a mi manera —decía, con una mezcla de orgullo y prepotencia.

Claro que esto no se lo creía nadie. Su habitación, a ojos de cualquier intruso, era el caos. Incluso la señora que ayudaba con el aseo había perdido la esperanza de poder entregar algún día el parte de victoria sobre la "pieza del bochinche", como acostumbraba llamarla su mamá. Juanito se negaba a dejar que la empleada recogiera algo de lo que había bajo los muebles. Escasamente aceptaba que levantaran las medias de tres días, esparcidas por toda la habitación, o los tenis renegridos que por fuerza de la ley materna debían ir a la lavadora, o el suéter del colegio que se quedaba amarrado a la mochila con un nudo tan apretado que en cada retirada se le iban desprendiendo un poco más las mangas.

Así que la lucha del caos contra el orden se daba a diario en el mundo de Juanito; tanto que muchas veces terminaban olvidándose de entrar a esa espantosa habitación para evitar un disgusto con El Rebelde del Computador, como le decía su papá. Pero otros días su mamá arremetía con la complicidad de la empleada para hacer

aseo general, y allí se producía su explosión de rabia cuando, al volver Juanito del colegio, encontraba su mundo patas arriba, sin la menor esperanza de encontrar sus cosas más queridas.

Pero en lo que no había permiso para inmiscuirse, aunque su mamá, su papá y la empleada insistieran, era en sus libros, manuales y revistas de computación. Todos estaban en una caja de cartón semidestruida, a los pies de la mesa del computador, que milagrosamente permanecía libre de chécheres, limpia y reluciente como un altar sagrado, ante el cual Juanito pasaba las horas de las horas sin acordarse de nada más, ni siquiera de comer.

Juanito incluso había olvidado para qué servían los juguetes. Allí estaba el arco con las flechas adornadas de plumas que su tía le había regalado la última Navidad. El balón de fútbol lo había extraviado en el colegio, y la bolsa con canicas de cristal que se había ganado gracias a su excelente puntería descansaba ahora dentro de la pecera con dos tristes pececitos que sólo recibían algo de comida cada dos o tres días.

—¿Cómo se te ocurre tirar esas bolas de colores en la pecera? —le reclamó su mamá una mañana cuando la estaba lavando.

—Pero, mami, así esos pececitos van a pensar que les llegó compañía. A lo mejor creen que cada bola es un cupis más. Fíjate lo contentos que están.

Su mamá balanceó la cabeza incrédula, pero terminó por aceptar la excusa, pensando que al menos en esa acción había una buena intención. Pero la verdad es que a Juanito Pinzón las bolas, los peces, el balón y todo, absolutamente todo le importaba un pito. Él sólo estaba interesado en su computador y en navegar por el ciberespacio.

Para Juanito Pinzón no existía nada más que el internet. Su papá, un exitoso ingeniero de sistemas, maldecía el día en que se le había ocurrido aparecerse con un computador e instalarlo en el escritorio de

su hijo.

—Es como haberlo perdido para el mundo real —les dijo a sus amigos, que lo consolaban contándole las travesuras de sus respectivos hijos.

—Tanto que luché por apartarlo del televisor para que ahora caiga en manos de otra pantalla que, entre otras cosas, fue la única capaz de alejarlo de la tele —aseguró su papá, mientras terminaba de revisar un programa que su empresa estaba desarrollando para controlar inventarios por computador—. Porque la verdad es que Juanito sólo dejó de ver televisión ese día, cuando se le iluminó la otra pantalla y entró al mundo del ciberespacio. ¡Y todo por mi culpa!

Ahora llegaba del colegio directo a navegar. Entraba a todos los sitios, recorriendo con sus ágiles deditos las teclas que lo conectaban al mundo infinito del ciberespacio.

Un miércoles, con esas ansias de viajar por la red, con ese deseo de aventurarse en los mares de la informática, empezó a improvisar rutinas de búsqueda, adentrándose en sitios desconocidos de los que sólo había oído hablar en los canales del cable y en las revistas especializadas. Buscó las direcciones de científicos de la NASA y de expertos que guardaban la información del ciberespacio en las universidades extranjeras. Entró a sitios confidenciales con las habilidades de un *hacker* experto. Le había oído decir a su padre que existían personas dedicadas a penetrar como ladrones en los sistemas de las grandes compañías para robar información o conseguir datos para hacerse millonarios.

Sin embargo, a Juanito no le interesaba el dinero.

—¿Para qué? —les dijo a sus amigos—. Lo que yo quiero son aventuras, riesgos, descubrir cosas que nadie ha descubierto.

Sus amigos se reían porque lo creían un poco lunático: —¿Y con qué crees que se viaja, ah? ¡Con plata, claro! No seas bobo, que un *hacker* hace lo que hace para ganar *lucas*, ¿entendiste? ¡*Lucas*!

Se sintió decepcionado de sus amigos. Y en ese momento tomó la decisión secreta de ser un *hacker* distinto, sin amigos molestos, sin andar pensando en robarse nada. Sólo quería tener información del espacio. Pero no del ciberespacio, no del mundo de los sistemas; de ese ya sabía lo suficiente y lo que le faltara lo podría aprender fácil, leyendo los manuales de su papá. ¡No! Él quería saber del espacio verdadero, del espacio interestelar, de esos mundos lejanos que descubriría algún día. Porque pensaba que si en la Tierra se usan los computadores, en otros lugares del espacio infinito deben usarlos también. Juanito se propuso entonces ser el nuevo Cristóbal Colón del tercer milenio.

—Ya no quedan islas por descubrir, no hay un solo metro de suelo en este planeta que no haya sido estudiado. Pero sí existen miles de millones de estrellas, planetas, asteroides, y yo los voy a encontrar viajando como se viaja en el mundo moderno, por medio de los computadores, de las conexiones que permiten una comunicación virtual.

Así que se dedicó con empeño a buscar información ultra secreta sobre el espacio. Navegó muchos días perdido, sin rumbo claro y con poca idea de adónde quería llegar. No encontraba nada realmente nuevo, algo fascinante que le permitiera avanzar en su idea de conectarse con algo más allá, con extraterrestres o, al menos, con las señales de los satélites en la órbita de la Tierra.

Una noche, desanimado, se alejó por un rato del computador después de dejar un mensaje en un sitio extraño sobre ovnis; uno de esos sitios que más parecen pertenecer a brujos y esotéricos que a verdaderos científicos. Bajó a la cocina a buscar algo de comer, pues llevaba muchas horas sin percatarse del tiempo, sin levantarse siquiera para ir al baño, sin despegar los ojos de la pantalla, y ya su cuerpo no aguantó más. Eran las dos de la mañana. Todo el vecindario estaba callado y la casa estaba a oscuras. Sólo Rocky, su fiel perro *pointer* de pintas rojas, lo acompañaba somnoliento, mientras sus papás dormían. En medio del silencio, sólo se escuchaba el ronquido uniforme de su papá y uno que otro ladrido del perro del vecino que se pasaba las noches persiguiendo gatos vagabundos y que muy probablemente era el culpable de los regueros de basura que aparecían cada mañana en el andén.

Así que, fuera de esos ruidos conocidos, en esa noche nada podría oírse sin que

Juanito lo notara. Por eso, cuando abrió la nevera y empezó a escuchar unos sonidos electrónicos que salían de su habitación, se puso alerta. Desde la cocina, apenas alcanzaba a oír un susurro parecido al zumbido de muchas abejas. Se quedó inmóvil, casi sin respirar y atento al extraño sonido, hasta que tuvo la certeza de que sólo podía venir de su computador. Su primer impulso fue subir corriendo a ver qué estaba pasando, pero el hambre y el sánduche que acababa de preparar pudieron más que la curiosidad.

—¡Bah! Eso no debe ser nada. Ruidos así se oyen en cualquier sitio especializado de juegos electrónicos. Cuando acabe de comer, subo a ver de qué se trata. Mi mamá me mata si me llevo la comida a mi habitación.

Se sentó pues a cenar con un apetito voraz, sin prestar más atención a los ruidos extraños. Y poco a poco fue desvaneciéndose sobre la silla hasta quedar profundamente dormido encima de la mesa del comedor.

Una nube galáctica brillaba con una luz que nunca había visto en su vida. Tenía un brillo verde intenso que lastimaba los ojos como agujas. En lugar de la luz común, que

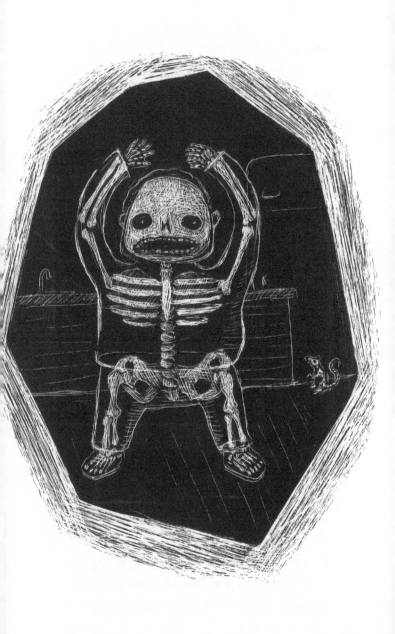

todo el mundo conoce y que ilumina de una sola vez, esta estaba hecha de rayitos separados, rayas iluminadas, cada una con su propia trayectoria. A cada objeto con el que se topaban le hacían primero un círculo de iluminación, para luego irlo penetrando como si estuvieran quemando la superficie hasta traspasar el objeto y seguir su rumbo de iluminación, transparentando hasta los objetos más sólidos, dejando ver su interior, mostrando los huesos de las cosas. Uno de esos rayitos lo tocó en la palma de la mano y fue entrando en sus tejidos, como rayos equis que primero muestran la piel traslúcida y después los huesos. El hilo de luz siguió avanzando por la palma de su mano hasta que la atravesó como una aguja larga, brillante y traslúcida y luego siguió su trayectoria por la pared abriendo un hueco de luz en el techo por el que podía ver el esqueleto de sus padres.

—¡No, no, mi mano no! —gritó asustado y trató de quitarse la luz de la mano, agitándola con fuerza, pero esta seguía ahí, atravesándolo. Sentía un cosquilleo fastidioso, como si tuviera la mano dormida.

Se despertó. Estaba asustado, sudaba y tenía la respiración agitada, como si hubiera corrido un largo trayecto perseguido por fantasmas. Y, sí, tenía cosquilleos en la mano, pero no porque la hubiera atravesado ningún rayo, sino porque se había quedado dormido sobre ella. Juanito sonrió, burlándose de su sueño:

—Podría jurar que esa luz me atravesó la mano de verdad. ¿Pero cómo? No, qué tontería. Y no debo contárselo a nadie. Todos se burlarían de mí. Rayos que traspasan, ja ja ja. ¿A quién se le ocurre?

De pronto recordó que había dejado encendido el computador. Miró el reloj de la cocina, eran las cuatro de la madrugada.

—¡La *recontrayuca*! —este era un dicho que Juanito usaba en casos de alarma—. Eso es lo que me va a caer encima si no me duermo ya, y si mi mamá se levanta y me encuentra con el computador prendido.

Sin pensarlo más, subió a su habitación caminando en puntas de pie para no hacer ruido. Apagó el computador sin fijarse en nada de lo que había en la pantalla, le sobó la cabeza a Rocky, que lo seguía con paciencia infinita, se quitó la ropa, se acostó en calzoncillos y se quedó dormido de inmediato.

Los días que siguieron fueron un infierno en el colegio. Se había atrasado en casi todas las materias, le faltaba leer una novela para la clase de Español, tenía embolatado el proyecto de Ciencias y debía dibujar con acuarela un enorme paisaje de selva húmeda tropical, con todo y su fauna para la clase de Artes.

—La *recontrayuca* —se dijo Juanito—, ahora sí va a estar complicado seguir buscando en internet. Si no me desatraso, mi mamá es capaz de vender el computador y ahí sí quedo frito. Y mi papá no me respaldaría, porque sólo le hace caso a ella. ¡Estoy perdido!

De modo que tomó la determinación de concentrarse en sus tareas escolares y hasta volvió a acercarse a sus viejos amigos para que le prestaran los apuntes de Matemáticas. Claro que, en su ausencia, los compañeros lo habían excluido de la gallada y lo habían reemplazado por un grandulón que había llegado de otra ciudad. Entonces tuvo que conformarse con un segundo grupo de amigos que, en su opinión, eran bastante "nerdos, gafufos y sapos". Este cambio tuvo sus ventajas porque Juanito ganó puntos frente a los profesores que alcanzaron a pensar que lo habían rescatado de las garras de los computadores y veían con complacencia que se hubiera alejado de los viejos y perezosos compañeros para acercarse a los "buenos" de la clase.

Pero la ilusión duró poco. Pasado el primer susto de esa noche, y hechos los acuerdos necesarios con sus nuevos amigos para que lo incluyeran en el proyecto de Ciencias y le dibujaran parte de la selva a cambio de unas revistas de computadores que le había sustraído a su papá, Juanito volvió a sus andadas o, mejor dicho, volvió a sus sentadas frente al computador sin preocuparse más de padres, profesores o amigos.

Encuentros del tercer tipo

Una tarde de domingo, después de un día entero de navegación mientras sus padres estaban fuera, Juanito encontró algo extraño. Era un sitio que ya había visitado antes, pero en el que no se había detenido mucho. De repente recordó que esa era la página a la que había entrado el día en que se había quedado dormido sobre la mesa del comedor.

—¿Qué clase de organización será esta? —se preguntó—. Y esos signos tan raros, ¿qué significarán? Nunca los había visto.

En la pantalla, unos símbolos desconocidos parecían formar frases en una especie de poema corto que se repetía tres veces y, al final, se podía hacer *clic* con el cursor para obtener una extraña serie de ruidos.

Esos eran los ruidos que había escuchado esa noche desde la cocina.

—¡Juaniiiito! —gritó su mamá, apenas regresó a la casa, con la desesperación de quien no logra que su hijo haga una sola tarea.

Pero Juanito no le prestó atención. Estaba extasiado frente al mensaje: —Parece más un error que otra cosa. ¿Será un virus? Y ese chirrido que sale del parlante del computador no es música, aunque tampoco suena a ningún ruido conocido. Es

como si alguien hablara, pero no parece una voz humana.

Lo que estaba oyendo era tan indescifrable y tan extraño que llegó a pensar que se le había dañado algo por dentro al aparato.

—¡Juaniiito! —volvió a gritar su mamá, pero esta vez mucho más cerca y con un tono amenazador que era imposible de ignorar.

Angustiado por el regaño que ya se le venía encima, se desconectó no sin antes tomar la precaución de guardar el vínculo de la página en una carpeta de su computador. Después tuvo que soportar media hora de una horrible reprimenda y resignarse a hacer las aburridas tareas.

—No hay nada peor que una tarea de Historia sobre la civilización egipcia cuando uno está pensando en un viaje interestelar por internet —concluyó para sí mismo.

Pero no había caso. La tarea estaba allí, esperándolo dentro de la mochila, y el libro que tenía que leer se escondía adentro como una rata lista a saltarle al cuello y devorarlo.

—Leer... ¡Bah! Pero si no hago más que leer en internet. No más ayer leí cuatro horas seguidas en un sitio que encontré sobre Astronomía. Me leí toda la historia de los agujeros negros y entré al *chat* de los que se dedican a mirar las estrellas. ¿Para qué voy a leer más sobre momias? ¡Esas ya se petrificaron! Pero nosotros todavía tenemos que aprender sobre lo que puede llegarnos del espacio —le alcanzó a argumentar a su madre, pero eso empeoró las cosas.

Ella desconectó brutalmente el cable del computador. —¡Basta de tonterías! O estudias o este trasto se va de esta casa —aseguró con firmeza su mamá y dio un portazo que no le dejó muchas opciones.

—¡Nada de cuentos! Leer en el computador no es leer y mucho menos es hacer tus tareas —replicó después su papá a la hora de la comida.

Así que, cuando terminaron de comer y de retirar los platos, lo condujeron como un prisionero hasta su habitación. Se llevaron todos los cables y, casi arrastrándolo por la camisa hasta el escritorio, le ordenaron:

—De aquí no te levantas sin terminar el capítulo sobre las pirámides. Y el computador queda decomisado hasta nueva orden.

No sirvió de nada la actitud resignada de Juanito Pinzón, ni mucho menos las promesas de ser el mejor de la clase el próximo bimestre. Allí lo dejaron sentado con el libro en las manos. Abrió en cualquier parte y se dijo:

—Da lo mismo. Una momia es una momia aquí y en Cafarnaún. Yo no les pienso gastar tiempo a los muertos y menos si son tan viejos.

Mientras pensaba en cómo volver a encender el computador, sus padres reflexionaban, preocupados.

—Si no ponemos orden en esta casa, Juanito se nos va a salir de las manos. Está totalmente adicto, y nosotros como papás no podemos dejarnos tomar del pelo —decretó la madre.

El papá de Juanito escuchaba tan regañado como su hijo. Se sentía culpable de haberle enseñado a entrar en ese mundo de la cibernética y, para escapar de la cantaleta, decidió escuchar en silencio.

Juanito terminó leyendo, muy a su pesar, los aburridos capítulos sobre Egipto. ¿Aburridos? ¡Nooo! Eso pensaba hasta que llegó a los alfabetos y símbolos con que esta civilización antiquísima dejaba constancia de sus conocimientos.

—¿Qué es esto? Me parece haber visto estas figuras en alguna parte... Pero si yo nunca había abierto este libro, ¿cómo es que puedo reconocerlas? ¿Por qué me parecen tan familiares? ¡Ya sé! Se parecen a las de la página web rara en la que me metí el otro día.

Finalmente, después de varias horas de concentrarse en los símbolos y con los ojos ya cansados de leer, se durmió sobre el libro con un último pensamiento: —Mañana los busco en internet.

Pero no hubo mañana. Su mamá logró convencer al papá de sacar el computador de la habitación y de hacer que Juanito estudiara sin descanso el resto del bimestre hasta que mejoraran sus calificaciones. Sin embargo, Juanito Pinzón seguía obsesionado con las figuras de los jeroglíficos egipcios, así que se las arregló para meterse en la biblioteca del colegio y entrar a internet.

Luego de hacer muchas búsquedas sobre el alfabeto egipcio, se acordó de que había guardado en una carpeta el vínculo de aquella página en la que había escuchado los chirridos raros y que contenía aquellos signos que no había reconocido en un primer momento. Tenía que compararlos, para tener la certeza de que pertenecían al mismo alfabeto. Claro que para entrar a esa carpeta debía conectarse a su computador desde el colegio y podía correr el riesgo de que sus padres se enteraran.

—¡Bah! Vale la pena correr el riesgo. De lo contrario, no voy a poder averiguar si los signos que aparecieron en esa página son egipcios. Además puedo decirles que hace parte de la tarea de Historia —reflexionó, como para tranquilizar su conciencia.

Así que, mientras sus amigos jugaban fútbol o descansaban entre clase y clase, se metió varias horas a internet. No desaprovechó ni un minuto hasta que pudo tener acceso a la carpeta en la que se encontraba la dirección de la página web de los extraños símbolos. Empezó a comparar los signos con los que traía el libro sobre Egipto y comprobó con una sonrisa de orgullo que efectivamente eran egipcios.

¿Pero qué significarían? No tenía suficiente información. Entonces se conectó con el Museo Británico, pues le había oído decir al profesor que allí tenían la mayor colección de objetos egipcios del mundo. Encontró algunos significados aislados de cada símbolo, pero no la manera de combinarlos para obtener un sentido.

De modo que siguió navegando con la esperanza de obtener más información. Con sus habilidades de *hacker*, logró penetrar en los archivos confidenciales de los expertos británicos en Egiptología. Allí encontró algo muy interesante. Se trataba de una teoría del profesor McCraft sobre la posible conexión de las pirámides con seres de otros planetas: "Ninguna evidencia permite aceptar que construcciones tan desarrolladas en su técnica y en sus dimensiones fueran elaboradas por los egipcios de esa época. De tal suerte que más parecen huellas de civilizaciones adelantadas en el tiempo y en el espacio. Las pirámides y muchas otras manifestaciones del pensamiento del antiguo Egipto son indudablemente obra de extraterrestres...", concluía el profesor McCraft, que argumentaba su teoría con comparaciones y datos muy precisos.

Juanito se quedó estupefacto. Más adelante, el profesor hacía una traducción de un jeroglífico en el que se explicaba cómo "de los más remotos lugares del espacio, vinieron los seres luminosos que nos gobiernan. Sus rostros no son rostros comunes. Son la encarnación de divinidades que han viajado desde muy lejos para traernos su conocimiento". El profesor añadía: "Eso dice el jeroglífico, además de un mensaje que debe mantenerse en secreto, pues quien lo revele corre el riesgo de que lo consideren loco".

Pero había más. Juanito advirtió una serie de signos que seguían al texto traducido por el profesor. ¡Eran los mismos que había visto en su computador! Los signos parecían una fórmula. Juanito los copió y apagó el computador. Guardó el papel en lo más profundo del bolsillo y se marchó presuroso a pensar en ese asunto donde nadie pudiera interrumpirlo.

Muchos días caviló Juanito sin poder hacer uso del computador, que a estas alturas se había convertido en su mejor apoyo para pensar. Sus padres lo habían guardado en el sótano, bajo llave, y las esperanzas de que se lo devolvieran se esfumaban ante los malos resultados académicos del bimestre. Pero de repente recordó que el sótano tenía una pequeña puerta olvidada tras unas matas que daba al jardín y por donde podría entrar esa noche sin que lo descubrieran. Así que, mostrándose sumiso, terminó las tareas, recogió los libros, se lavó los dientes y se metió en la cama sin que sus padres tuvieran que decirle nada.

—¡Juanito está tan extraño! ¿No te parece que algo está ocultando? —le comentó su mamá a su papá.

—Pero, ¿quién te entiende? Ahora que el muchacho está ajuiciado, te parece extraño. Vamos a dormir y deja ya de pensar bobadas.

Claro que su mamá tenía razón. Juanito estaba planeando levantarse, salir al jardín y entrar al sótano sin hacer ruido. Para

eso, tuvo que darle un suculento hueso a Rocky, que no se resignaba a dejarlo solo y a quedarse esperando pacientemente afuera, a la intemperie, en esa noche oscura. Deslizarse por esa pequeña puerta resultó peor de lo que imaginaba porque, más que una puerta, se trataba de una especie de ventanilla muy estrecha, ubicada en lo alto del sótano. De manera que tuvo que introducir primero los pies y dejarse descolgar por entre el estrecho marco de madera que le raspó sin consideración toda la espalda. Cuando tuvo más de la mitad del cuerpo dentro de la habitación, su propio peso lo hizo caer con fuerza al piso del sótano, que tenía una altura bastante considerable. El pobre Juanito se dio un porrazo fenomenal.

—¡La *recontrayuca!* —fue lo único que atinó a decir entre dientes para no dejar escapar un grito de dolor. Su pierna derecha quedó muy lastimada; tanto que pensó que podía haberse fracturado, pues no podía moverla. Miró el techo del sótano y, allá arriba, lejos de su alcance, estaba la ventana por la que se había descolgado.

—¿Y ahora cómo voy a salir de aquí? ¡Ay! —la pierna le dolía y ya comenzaba a hincharse—. *Psst*, ¡Rocky! —llamó a su fiel compañero, aunque no estaba muy convencido de cómo podría salvarlo—: Si no me encuentran, si no me sacan de aquí, voy a quedar momificado como los cadáveres de las pirámides —pensó aterrado.

Rocky no andaba cerca o quizás estaba muy entretenido con su hueso porque no respondió al llamado. Entonces Juanito buscó a su alrededor una solución, pero sólo encontró cajas viejas y empolvadas. En un rincón vio la caja de su computador y, en medio de quejidos de dolor, se arrastró como pudo y empezó a desempacarlo.

—Si logro conectarme, podré pedir ayuda —concluyó el muchacho, que había tenido la precaución de deslizar una extensión telefónica por debajo de la puerta clausurada del sótano.

Después de un rato que le pareció interminable, logró instalar su estación de trabajo e iniciar su computador para conectarse a la web. El dolor lo hacía llorar. Había hecho un esfuerzo tremendo para conectarse, arrastrando su pierna maltrecha, y ahora parecía que las fuerzas lo abandonaban. En medio de una especie de delirio, sacó el papel con los signos del profesor McCraft. Los buscó en el menú de símbolos y los escribió en la casilla de búsqueda, pero no pudo saber qué apareció en su pantalla, pues el dolor fue más fuerte que su voluntad de internauta. En segundos se desvaneció en un desmayo que lo hundió en un sueño profundo y oscuro.

Al poco tiempo, lo despertó un ruido agudo y notó que una luz lo alumbraba. No cabía duda: era la misma con la que se había soñado aquel día sobre la mesa del comedor. Vio su pierna, traspasada por los rayos. Y vio el hueso fracturado malamente, pero no sintió dolor ni miedo. La luz hacía que los dos fragmentos de hueso se acercaran hasta encontrarse como dos piezas de rompecabezas que encajan a la perfección. Una luz más intensa salió de la juntura de los dos pedazos y luego el hueso brilló íntegro, intacto, como si nada le hubiera pasado. Juanito se dio cuenta entonces de que su cuerpo permanecía dormido en el suelo del sótano, al lado del computador, mientras que él flotaba sin cuerpo por todos los rincones de la habitación.

—¿Qué me está pasando? —alcanzó a decir.

—No te preocupes. Soy Ixss y he venido a responder a tu llamado.

—¿Qué? —Juanito escuchó su propia respuesta, pero no como si la hubiera dicho, sino como si la sintiera debajo de la piel—. ¿Quién? ¿Quién me habla? —preguntó temeroso. Cerró los ojos con la esperanza de despertar de esa pesadilla y cuando los volvió a abrir, estaba de nuevo en su cuerpo, con la pierna intacta, sin un rasguño; la luz había desaparecido. Miró el computador y allí estaban aquellos signos que él mismo había escrito. Recostada contra la ventana del sótano, una luminosa escalera de un metal raro, casi transparente, lo invitaba a subir. En el hueco de la ventana, la carota de Rocky lo miraba con el entusiasmo de una fiel mascota que descubre, al fin, dónde está su amo.

Juanito subió por la escalera a una velocidad que unos momentos antes habría sido impensable. Pisó las matas y se llenó de tierra mientras luchaba por cerrar la ventana. Se secó el sudor que le chorreaba por la frente. Su respiración agitada y el temor que lo invadía impidieron que se detuviera a pensar siquiera un segundo sobre lo que había sucedido. Entró a la casa como un rayo, seguido por Rocky. Llegó a su habitación y se escudó un instante tras la puerta mientras recuperaba el resuello. No intentó siquiera quitarse los tenis porque las manos le temblaban y se metió bajo las sábanas, sin preocuparse por lo que su mamá diría al día siguiente cuando encontrara la cama embarrada.

Pero no se pudo dormir. Era conciente de que había vivido algo insólito. Se tocó la pierna; nada le dolía. Se tocó la espalda donde se había rasguñado al entrar por la ventana.

—¡Nada! ¡No tengo nada! ¿Y entonces qué fue lo que me pasó?

Dejó que Rocky se subiera a la cama para que lo acompañara y le vigilara el sueño, como para evitar que se repitiera esa pesadilla. Agotado cayó por fin en un sueño profundo, del que sólo despertó a la mañana siguiente, cuando el regaño esperado por ensuciar las sábanas lo levantó y lo llevó de un tirón hasta el baño. Allí estaba de nuevo ante su mamá, que no iba a entender ni la mitad de lo que él pudiera contarle. Así que descartó cualquier disculpa y se limitó a entrar en la ducha para tratar de poner en orden la cabeza y los sentimientos.

La aventura de aquella noche dejó a Juanito Pinzón en una especie de alelamiento que le duró varios días. Trataba de ordenar cronológicamente lo que había vivido; intentaba en vano recordar la voz que le había hablado y aclarar si todo había sido un sueño, una pesadilla o, lo peor, algo real. Necesitaba consejo, aunque no se atrevía a contarle su experiencia a nadie. Alguna vez oyó que un pariente suyo había empezado a hablar de extraterrestres y que acabó con una camisa de fuerza, recluido en una casa para los loquitos. Así que, embebido en sus pensamientos, pasó los días siguientes como un sonámbulo, solo y desconectado del mundo. Sus deberes quedaron más olvidados que nunca, por lo que evitó el contacto con sus padres. Su madre comenzó a preocuparse, pues lo veía en su cuarto, silencioso y como ausente.

—¿Qué crees que le pasa a Juanito? —le preguntó a su esposo con una angustia que ya no le permitía retener las lágrimas—. ¿Será mi culpa?

—No sé, yo también lo noto raro. Tal vez se nos fue la mano con el castigo, mi amor.

Creo que hay que hacer algo: llevarlo al médico o hablar con sus profesores.

Y así resolvieron que era hora de tomar cartas en el asunto, comenzando por el colegio. Su madre hablaría con la consejera estudiantil al día siguiente.

¡El profe le creyó!

Era una oficina pequeña, muy ordenada y con una decoración infantil. Dolores, la consejera, recostada contra la ventana que daba al patio de juegos, lo miraba calmadamente, sin hablar, esperando que Juanito dibujara en la hoja lo primero que se le viniera a la cabeza. Pero Juanito apenas si se percataba de que tenía un lápiz en la mano. Parecía estar en otro planeta.

Entonces Dolores cambió de táctica y le propuso que comieran rosquillas con chocolate, lo que a Juanito le sonó como un regalo del cielo, porque no había comido mucho en esos días.

—Pero tenemos que ir a comprarlas. ¿Qué te parece si me acompañas hasta la cafetería?

De regreso de la cafetería, Dolores le propuso tomar el refrigerio en el jardín. Se sentaron debajo de un gran samán al borde de la cancha de fútbol. Estaban comiéndose sus rosquillas en silencio cuando pasó Pacho Chonta, un profesor de secundaria, un joven y brillante profesional, aunque algo loco, que andaba siempre en *blue jeans* y camiseta y que secretamente se moría de amor por Dolores.

—Ah, de manera que están de *picnic* en horas de clase —les dijo en tono de broma.

Dolores le ofreció una rosquilla de mala gana, y él se sentó en el prado sin dudarlo y sin prestarle ninguna atención a Juanito. El profesor acaparó la conversación. Le contó a Dolores acerca de sus últimos estudios de Física y de allí pasó a su obsesión por la Astronomía.

—¿Sabe, Dolores, que, según las últimas investigaciones de la NASA, habría vida en Marte?

Juanito sintió un corrientazo. ¿Vida? ¿En Marte? ¿Extraterrestres? Eso sonaba interesante. ¿Sería posible que algún adulto entendiera lo que le había pasado? Se acercó un poco más y escuchó con mucho interés las palabras del profesor.

—Uno no puede hablar mucho de extra-terrestres, porque lo creen loco, Dolores, pero que los hay, los hay —dijo el profesor.

—Lo que hay es trabajo, y nosotros esta-mos en plena sesión de consejería. Así que, por favor, profesor, no nos distraiga con sus cuentos. Me parece que sus alumnos lo están esperando —interrumpió Dolores, molesta por la charla del profesor Pacho Chonta—. Vamos, Juanito, no hay nece-sidad de escuchar estas tonterías.

La reacción de la consejera tomó a Juani-to por sorpresa. Dolores lo cogió del brazo y lo alejó rápidamente del profesor, como si tuviera miedo de contagiarse de su locura. Pacho se quedó desconsolado y Juanito, tratando de seguirle el paso a Dolores, se lo miraba al alejarse, entusiasmado por lo que le había oído decir.

—Señorita Dolores, ¿quién es él? —pre-guntó Juanito.

—No le pongas atención, Juanito. Pacho Chonta es el profesor de Física y está un poco tocado —respondió Dolores ll緬ván-dose el dedo a la cien para indicar que le faltaba un tornillo.

Juanito la miró sin entender la razón de su prisa y sólo hasta ese momento notó que la consejera tenía la cara enrojecida y los ojos vidriosos. "Definitivamente ese señor la puso nerviosa o furibunda", pensó.

En los días que siguieron, Juanito visitó varias veces la consejería. Parecía cambiado. Habló más y estuvo atento a las indicaciones de Dolores; tanto que la consejera llegó a pensar que había hecho una gran labor y así se lo comunicó a sus padres.

—Está mucho mejor —les dijo—, yo creo que no hay de qué preocuparse. Juanito es un niño muy inteligente y tranquilo, sólo es un poco callado y solitario. No veo ningún problema en que le devuelvan el computador.

Claro, Juanito era todo eso. De ninguna manera estaba loco. Él sabía muy bien qué era lo que le pasaba, pero no tenía con quién comentar su experiencia asombrosa. No tenía, hasta que conoció al profesor de Física. El cambio de Juanito era sólo una táctica para que Dolores lo dejara tranquilo y él pudiera acercarse de nuevo a Pacho Chonta, y así fue.

Una tarde, cuando terminaban la sesión de consejería, el profesor Chonta pasaba frente a la oficina de Dolores y se toparon con él cuando abrieron la puerta.

—Ah, Dolores, quería… —titubeó, colorado de pena—, quería pedirle disculpas por haberla molestado el otro día en el jardín. Es que…

Dolores sonrió tímidamente: —No se preocupe, profesor, eso ya pasó.

A Juanito le pareció que ella sentía una gran atracción por el joven físico, pero que no quería que él se diera cuenta. Entonces Juanito vio su gran oportunidad y se aventuró a una propuesta: —¿Qué tal si repetimos las rosquillas con chocolate? Yo los invito, tengo mi mesada completica.

De modo que, por cuenta de Juanito, terminaron de nuevo comiendo rosquillas bajo el samán. Pero Juanito cobró por la invitación. En lugar de permanecer callado, empezó a preguntar por los astros, los asteroides, los cometas y todo lo que se le ocurrió sobre el universo. Pacho se sintió dichoso de poder exponer sus conocimientos y acabó invitándolo a su oficina para mostrarle una carta planetaria. Dolores, en cambio, no disfrutó nada. Se sintió excluida y los dejó solos para que pudieran continuar su conversación sin que ninguno de los dos se inmutara por su ausencia.

—Es posible que, si hay vida en otros planetas, ¿nos podamos comunicar con ellos? —preguntó Juanito.

—Sí, teóricamente eso es posible. Pero todavía no tenemos la tecnología que nos permita hacerlo. Tendríamos que tener alguna forma de enviar una señal a miles de años luz para que fuera captada por sus equipos receptores. Como, por ejemplo, desde un computador —contestó Pacho, mientras terminaba de enseñarle a Juanito cómo están estructuradas las galaxias.

—Pero, ¿y si ellos tuvieran la tecnología para comunicarse con nosotros?

—Ah, eso sería otra cosa —admitió Pacho.

—Pues yo lo he hecho —se resolvió Juanito a contar el secreto que llevaba guardado durante las últimas semanas.

—Ah, ¿sí? —le respondió el profesor con una sonrisa incrédula—. Muchos creen haber tenido contacto con extraterrestres —Pacho lo despeinó cariñosamente y abrió la puerta para indicarle que ya era hora de irse.

—Es verdad, profesor, usted es el único que me puede entender... Mi computador...

—Bueno, bueno, Juanito, será mejor que no veas tanta televisión y que te dediques a tus estudios. De lo contrario... —hizo ademán de cortarse el cuello y cerró la puerta.

Juanito quedó desconcertado en medio del largo corredor, esperando que la puerta se abriera de nuevo, pero no fue así.

—Con razón el profesor McCraft escribió que ciertas cosas no se pueden contar porque se corre el riesgo de que a uno lo consideren loco —reflexionó Juanito.

Ante las circunstancias, Juanito decidió averiguar por su cuenta qué había pasado aquella noche en el sótano de su casa. Después de comer se encerró en su habitación, donde ya tenía de vuelta el computador. Buscó el vínculo de la página web y reinició la búsqueda de Ixss. Encontró la página y entró.

Pero nada ocurrió. ¿Cómo era posible? ¿Acaso estaba todo en su imaginación? ¿Se estaría volviendo loco? La desilusión lo embargó. Pensando que todo era absurdo, decidió que lo mejor sería irse a la cama.

Estaba cepillándose los dientes cuando escuchó el zumbido extraño, ese que ya le era familiar y que había escuchado justo antes de ver la luz que transparentaba los objetos. Volvió corriendo a sentarse frente a la pantalla, miró por todos lados para ver de dónde salía el zumbido. Pero advirtió que estaba en todas partes; que no parecía tener una única fuente de salida. En la pantalla oscura fueron apareciendo una a una las letras I X S S.

Juanito se paralizó. Su corazón latía a mil, pero no podía moverse de su asiento. De repente, se llenó de calma. Una luz verde salió de la pantalla y lo invadió todo. Pudo ver cómo la luz reflejó y atravesó todo su cuerpo, como si de una radiografía se tratara, y sus dedos se convirtieron en prolongaciones de esa luz. La pantalla sufrió una transformación: ya no era dura, ni plana, sino que parecía como si se estuviera abriendo para dar salida a un remolino de luz verde que se movía hacía él. Las letras desaparecieron, ya no se veían en la pantalla, sino que se sentía su zumbido: Ixss, ixss. Ese sonido se fue transformando en una melodía suave pero poderosa que envolvió y ablandó el cuerpo de Juanito, que se había quedado paralizado. El remolino y Juanito se hicieron de un mismo material gaseoso y móvil y,

de un solo golpe, se lo tragó la pantalla. El computador se apagó abruptamente y la habitación quedó en silencio. Juanito había desaparecido.

En medio de la noche, Juanito cayó bajo el samán que estaba al borde de la cancha de fútbol, junto a un ser luminoso. Realmente no era que pudiera verlo; pero lo sentía, acompañado siempre del suave zumbido Ixss. El ser lo tocó con su luz y cada contacto le transmitía una sensación completamente nueva, como si fueran vibraciones que le llevaran mensajes a través de la piel y los huesos. La primera sensación fue de tranquilidad. No sentía miedo. Nada de ese ser extraño le producía el menor temor. Por el contrario, había algo de placidez y de seguridad cada vez que la luz lo alcanzaba. La luz empezó a subir por la corteza del árbol en dirección a la copa. Era como si a su paso inundara de savia cada rama y cada hoja por la que pasaba. Al llegar a la cima, jaló al niño de la misma manera abrupta en que lo había metido al computador. Juanito entró por la corteza del samán. Su propia luz siguió el camino de la savia que subía por el tronco hasta las hojas y llegó al lado de Ixss.

—Sólo la mente fresca de un niño inteligente puede ayudarnos.

Eso fue lo que Juanito oyó. Lo oyó o, quizás, lo sintió dentro de él. Ahora estaba en la copa del árbol, y desde allí veía las luces de la ciudad. No tenía que hacer ningún esfuerzo para sostenerse, no se caía, es más, parecía flotar sobre las ramas. Ixss, hecho de zumbidos y de luz, lo acompañaba para indicarle una estrella que esa noche brillaba más que todas, con una luz verde y traslúcida como la que él mismo irradiaba.

—Debes ayudarnos. ¡Corremos un grave peligro! Debes encontrar en este planeta la clave para establecer una nueva ruta de energía que recupere el equilibrio de la atmósfera terrestre con relación al universo. Los seres humanos han alterado los flujos de energía del universo con tantos desechos y gases tóxicos que son producto de las guerras constantes, pero también de los desperdicios de la vida que ustedes llaman moderna. Tienes que hallar un jeroglífico y escribirlo en tu computador. Así abrirás un canal que nos permitirá estar en contacto permanente con ustedes y comenzar a restablecer el equilibrio. Se trata de una clave que grabaron nuestros antepasados en la Tierra previendo que algún día pudiera ocurrir este desastre. Y debes apurarte, pues hay un grupo que busca evitar que ese equilibrio se restituya, para controlar este planeta y destruir tu civilización. Sabrás que están cerca cuando veas una luz como la mía, pero de color rojo. Yo te ayudaré, pero no puedo encontrar la clave para establecer esa nueva ruta porque me encuentro muy lejos. Tú sólo estás viendo mi energía. Por eso necesito la ayuda de amigos en la Tierra que sean sensibles y buenos como tú. Y ten mucho cuidado, nuestros enemigos están cerca. Puedo sentirlos, ellos son muy poderosos —alcanzó a entregarle un pequeño objeto en su mano que parecía una pieza diminuta de computador.

No alcanzó a oír más porque la voz del ser luminoso comenzó a oírse como una radio mal sintonizada y la luz cambió de color, como si algo la alterara, para debilitarse por completo. Juanito vio un estallido rojo que lo enceguoció. De repente sintió el peso de su propio cuerpo y perdió el equilibrio. Asustado, y como si despertara de repente, se agarró de una rama endeble que no pudo sostenerlo. Ya sin la luz verde que lo había protegido, empezó a caer, descendiendo por el gran samán de rama en rama hasta el suelo con un tremendo golpe que lo dejó inconciente.

Abrió los ojos. Una enfermera le revisaba el suero.

—¡Qué bueno, se despertó el niño! —gritó con júbilo la enfermera y sus padres corrieron hacia su cama de hospital. Tenía la pierna enyesada y la cabeza vendada. Le dolía todo el cuerpo y no conseguía moverse.

—¡Mi niño, mi muchachito! —lloraba su mamá, abrazándolo y llenándolo de besos, mientras que su papá se limpiaba los anteojos para disimular las lágrimas que no lo dejaban ni hablar.

—Pero, ¿cómo se te ocurrió subirte a semejante árbol y en medio de la noche? ¿Estás loco, Juanito, o qué? —le reclamó su papá, recogiendo fuerzas para darle el regaño que tenía guardado desde el amanecer, cuando un guardia del colegio los llamó para decirles que los perros habían encontrado a Juanito desmadejado al pie del samán. Lo que siguió fue la locura de la ambulancia y las carreras para llevarlo de urgencias al hospital.

El médico entró con las radiografías para mostrárselas a sus padres.

—El daño no fue muy grave, afortunadamente. Las ramas probablemente amortiguaron la caída, pero la fractura fue cerca de esta otra fractura ya soldada, lo que podría hacer que tuviéramos que operarlo. Pero esperemos unos días —dijo el doctor, algo preocupado.

Sus padres se miraron asombrados. —¿Qué otra fractura? ¡Juanito nunca se ha quebrado nada! —le susurró la madre a su marido, mientras que el doctor revisaba al niño—. Estoy segura de que ese médico está equivocado.

Pero Juanito sí sabía de qué fractura se trataba. ¡Entonces Ixss le había curado la pierna fracturada aquella noche en el sótano de su casa! Había sido cierto su primer encuentro con el extraterrestre. Entonces Ixss sí existía, sí, sí, él no estaba loco.

—Doctor —dijo Juanito—, ¿me deja guardar esa radiografía?

Sus padres lo miraron extrañados y el doctor se la entregó como un trofeo.

Días después, en su casa, acompañado siempre de su perro Rocky mientras se reponía de sus golpes, Juanito intentó reconstruir lo sucedido aquella extraña noche. Recordó que el ser de luz le había hablado de un problema muy grave y de que él tenía una misión muy concreta. Debía hallar un jeroglífico que los extraterrestres habían escrito en algún lugar del mundo. ¿Pero dónde? ¿Y cómo empezar a buscarlo? ¿Qué sabía él de jeroglíficos aparte de lo poco que había aprendido en sus búsquedas por internet? Repasó entonces las palabras que le había dicho Ixss y recordó también que, antes de desvanecerse, él había puesto en su mano un objeto pequeño.

—¡La *recontrayuca*! —se dijo preocupado—. ¿Qué se habrá hecho el dispositivo? Claro, debió caerse también, así que tiene que estar cerca del árbol, si nadie lo ha recogido.

Tan pronto como regresó al colegio, aprovechó el recreo para arrastrarse con sus muletas hasta el samán. Allí estaban Pacho y Dolores, que ahora parecían muy cercanos, como si hubieran dejado atrás la timidez y fueran una parejita de novios. Al verlo acercarse, Pacho se levantó para ayudarle y le ofreció parte de su pastel. Dolores también fue muy amable y le dio un poco de jugo.

Juanito aceptó de mala gana, pues ellos le obstaculizaban la búsqueda. Así que, recostado en el tronco del árbol, comió el refrigerio y guardó silencio mientras recorría el suelo con la mirada. De repente Pacho sintió un chuzo en la nalga.

—¡Ay! ¿Qué es esto? —y sacó de debajo de su cuerpo un pequeñísimo objeto verde con una punta que brillaba como una luciérnaga.

Juanito saltó como pudo y gritó: —¡Eso es mío! ¡Démelo!

Pero Pacho, que era más grande y que podía moverse mejor, no se lo dejó quitar. —Un momento, muchachito, esto me lo encontré yo.

—¡No, no! Eso es mío —gritó Juanito furioso.

Dolores intervino: —Pacho, ¿qué es eso de pelear con un alumno? Me hace el favor y le entrega esa cosa al niño.

Pacho obedeció, pero se quedó intrigado. Más tarde alcanzó a Juanito en el corredor.

—Oye, Juanito, ¿qué tal si vamos a mi oficina y me hablas de ese objeto que encontramos?

—No —respondió Juanito sin pensarlo.

—Vamos, no sé qué te ha pasado, pero es mejor que hablemos, porque te pusiste muy nervioso. Hay algo que nos estás ocultando. Te prometo que no diré nada y, si puedo, te ayudo.

Juanito lo pensó otra vez y se dejó llevar a la oficina de Pacho. Allí le contó todo. Le habló de aquella extraña página a la que había llegado por azar, de los zumbidos, de los signos extraños que luego identificó como jeroglíficos egipcios. Le contó todo acerca de su búsqueda en internet y de cómo había escrito nuevamente esos símbolos antes de que Ixss se le apareciera en forma de luz la noche de su segundo accidente. Ixss había llegado como si respondiera a un llamado o como si esperara que alguien entrara en contacto con él para venir a este planeta y encontrar la clave salvadora. Le confesó finalmente que la Tierra entera estaba en peligro, y que él tenía una misión que no sabía cómo abordar. Y, para rematar, le dijo que el propio Ixss había puesto en su mano ese objeto raro, pero que él no sabía para qué podía servir, salvo para algo relacionado con la tarea que debía cumplir.

Pacho se quedó boquiabierto y sin tener mucha idea de qué responderle.

—Es difícil creer lo que me dices.

—¿Ah, sí? —respondió el niño—. ¿Y entonces cómo me explica lo de las dos fracturas?

—No tengo ni la menor idea —reconoció Pacho, rascándose la cabeza y sin saber si Juanito estaba loco o si ahora habían enloquecido los dos.

Entonces Pacho examinó el dispositivo. Lo miró con una lupa y de repente se le ocurrió que quizás podría instalarse en un computador. Sin decir nada, cogió sus herramientas, abrió la torre de su computador y buscó adentro, en medio de los cables y circuitos, un lugar donde conectar el dispositivo.

—Ya está. Aquí se puede instalar. Ahora vamos a ver qué hace.

No tuvo tiempo de encender el computador. Una luz verde y traslúcida lo inundó todo de inmediato. La oficina se transformó en un espacio brillante y nebuloso, sin piso ni paredes. En medio de aquella luz, Pacho y Juanito comenzaron a brillar también y parecieron unirse al destello intenso que parecía provenir del aparato. Con todo, la luz de Pacho era más débil que la de Juanito quien, por el contrario, parecía

agigantado por la gran potencia de su luz. El zumbido lo estremecía todo, como si se apoderara del recinto entero. Todo el colegio se había llenado de energía. Los bombillos explotaban, las computadoras emitían sonidos y los radios vibraban en una onda de chillidos incontrolables. Sin embargo, nada parecía distinto aparte de la oficina de Pacho Chonta. Sólo un halo de luz verde y traslúcida se escapaba por debajo de la puerta y salía por el corredor en dirección al samán.

Muchos lo vieron convertirse en un árbol luminoso y vibrante que dejaba ver su interior lleno de savia como una vena palpitante de sangre verde. Comenzaron los gritos. En cuestión de segundos el pánico se apoderó del colegio. Los niños corrían hacia los autobuses y el rector llamó a la policía. Muy pronto, el colegio fue desalojado y los policías, desconcertados y temerosos, recorrían nerviosamente todos los rincones buscando la fuente de semejante fenómeno. Un grupo llegó hasta la oficina del profesor de Física y vieron que la luz salía de debajo de la puerta.

—¡Aquí es, aquí es! —gritó un agente desesperado que trataba de forzar la entrada. Entre varios lograron derrumbar la puerta y, tras el estruendo por su caída, la luz se desvaneció de inmediato. Pacho, Juanito y el computador estaban allí, como si nada. Habían vuelto a ser como antes, seres de carne y hueso, digo, y de cables y teclado.

El capitán que estaba comandando el operativo se quedó atónito en medio de la oficina y observó con sospecha a Juanito y a Pacho.

—Y la luz, ¿dónde está? —preguntó, mientras recorría la oficina con la mirada.

—¿Luz? ¿Qué luz? —reaccionó el profesor Chonta—. ¿Por qué tumbaron la puerta? ¿De qué se trata todo esto? Capitán, ¡exijo una explicación!

Después de mucho titubear, el grupo de agentes se retiró sin conseguir explicarse nada. Una nueva requisa de las instalaciones del colegio y recoger algunos testimonios tampoco les ayudó a entender lo que había pasado.

—¿Qué ordena mi capitán? —preguntó el agente Flores, el más despierto y acucioso del grupo.

—¡Qué voy a ordenar, so bruto! Usted vio lo que yo vi, ¿sí o no? —respondió furioso el oficial, que no aceptaba una burla de nadie—. Yo creo que alguien nos está tomando del pelo y me parece que el profesorcito ese tiene mucho que ver con todo. Agente, le ordeno que lo vigile. A mí me huele raro todo esto —y con esa orden se marchó dejando al agente Flores desconcertado por el encargo de vigilar a un simple profesor y de perseguir una luz verde.

Comienza el viaje

Pacho buscó a Juanito a la salida de los autobuses y se lo llevó aparte para hablar de lo que había sucedido.

—Juanito, tienes que explicarme qué fue lo que pasó esta tarde en mi oficina.

—Profe, yo tampoco sé muy bien. Sólo le puedo decir que esta es la cuarta vez que esa luz se me aparece. Primero fue en mi casa, cuando estaba dormido. Y después en el sótano, la noche del accidente… —y Juanito le contó otra vez todo lo que había pasado.

Pacho Chonta ahora sí lo escuchaba con gran interés, tratando de encontrar una explicación lógica. —¿Sabes qué? Voy a llevarme lo que quiera que sea esa cosa para mi casa y esta noche lo instalo en mi computador a ver qué pasa.

—Yo lo acompaño, profe. Tengo más experiencia que usted en luces verdes.

Al final de la tarde, Juanito convenció a su mamá de que lo llevara a donde el profesor a hacer un experimento. Como a ella todo lo que se tratara del estudio de Juanito le parecía bien, se ofreció a esperarlo.

—No, mami, cómo se te ocurre. El profesor dijo que me llevaba a la casa cuando termináramos. Además va a estar Antonio Garcés también y su papá me puede traer, si el profesor no puede —Juanito no acostumbraba mentir, sino que más bien solía hacer las cosas sin consultarle a nadie. Pero en esta ocasión no dudó en hacerlo.

Ya en la casa del profesor, que vivía con una tía viejita y casi sorda que se quedaba dormida en cualquier rincón, y con una gata igual de vieja que se llamaba Gertrudis, se dispusieron a encender el computador como si se tratara de una ceremonia religiosa. El profesor cogió el objeto y se detuvo un instante para mirarlo. Luego bajó lentamente hasta el punto de contacto, una ranura insignificante. Pero antes de que pudiera encender el computador, y en un instante, la luz de la salita de estudio titiló y ambos sintieron un extraño sonido que los invadía, como si los atacara un enjambre de abejas. La misma luz verde que habían visto horas antes los envolvió y los transformó en seres luminosos como una especie de gelatina traslucida. La tía dormitaba en el sofá y no se dio cuenta de nada. En cambio, la gata salió despavorida y, con el pelo erizado, escapó por la ventana entreabierta.

Juanito y el profesor Chonta empezaron a oír o, más vale decir, a sentir un mensaje.

—Juanito, soy Ixss. Debo rodearlos con mi luz para que puedan comprenderme porque los seres de luz sólo podemos hablar con otros seres de luz. Ahora ustedes son seres de luz, como yo. Pensé que vendrías solo. Con los niños podemos comunicarnos mejor, porque los adultos crean barreras energéticas con sus prejuicios y su pensamiento excesivamente racional. Juanito, tú eres un gran portador de energía y tu luz vibrará mil veces más rápido que la del profesor. Eso y este dispositivo que acaban de instalar te permitirán viajar, atravesar objetos y flotar. Aquí comienza tu misión, pues alguien nos interrumpió el otro día en la copa del árbol. No debes tener miedo.

Juanito y el profesor no salían de su asombro. Ni siquiera se atrevían a moverse. Ixss tomó la mano de Juanito envolviéndola con un rayo circular y la introdujo en la pared para demostrarle lo que decía.

—¿Qué quiere de nosotros? —dijo el profesor y la voz se le quebró.

—Necesito un equipo de trabajo —contestó la luz—. Con Juanito habría sido suficiente, pero usted se apareció y ahora tendremos que llevarlo con nosotros. Podría sernos útil.

—¿Llevarme? ¿Adónde? ¡No, nadie va a ninguna parte! —protestó el profesor Chonta.

—Ese es precisamente el problema con los adultos: quieren explicarse todo y desconfían de todos —y, diciendo esto, como si las explicaciones no vinieran al caso, emitió una luz todavía más brillante y los envolvió con ella—. Nos vamos.

Fue lo último que oyeron antes de que todo se desvaneciera. La tía, que había dormido y roncado sin inmutarse por lo que había pasado, se despertó de repente:

—Ah, ah, ¿qué pasa? ¡Gertrudis! ¿Dónde está mijita? Pachito..., mi muchacho, ¿qué se hizo?

La gata, todavía erizada, regresó del árbol y saltó desde la ventana para refugiarse en el seno de la anciana. Ya con la gata de regreso y sin que Pacho apareciera, la tía no tuvo ningún problema en dormirse de nuevo en su sofá.

Convertidos en energía pura, Ixss, Juanito y el profesor entraron por la pantalla del computador y viajaron por la conexión de internet. Las conexiones de la red parecían grandes avenidas por las que corrían y se cruzaban con una rapidez inimaginable millones de datos, voces, sonidos electrónicos y muchos virus. Como si fuera un experto deportista de *skateboard*, Ixss iba punteando y abriéndoles paso a sus seguidores a una velocidad de vértigo.

Al poco tiempo, salieron disparados por la pantalla de un computador en un lugar desconocido. Al ser escupidos por la pantalla recuperaron su cuerpo sólido.

—¡Al fin llegaron! —les dijo en inglés un niño que tenía aproximadamente la misma edad de Juanito. Estaba vestido con la túnica blanca que se usa en los países de Oriente Medio.

—¿Llegamos? ¿Adónde? —preguntó el profesor levantándose con dificultad y sacudiéndose la ropa.

—A Egipto —contestó el niño, como si fuera la cosa más natural viajar por el ciberespacio—. Me llamo Abdi y soy amigo de Ixss. Bienvenidos a nuestra misión. Síganme.

Sin dejar que se repusieran del viaje y la sorpresa, Abdi los llevó a la habitación trasera de su casa. Estaba adornada con fotografías de las pirámides y la Esfinge.

Una luz pálida que salía de una pequeña lámpara iluminaba a duras penas la habitación.

—En este país hay sitios a los que sólo pueden ingresar los turistas, y siempre en pequeños grupos dirigidos por un guía certificado por el gobierno. Esta misma tarde comenzaremos con la primera parte de nuestra misión.

—No, jovencito. Yo no voy a ninguna parte sin que me expliquen que está pasando —dijo indignado el profesor.

En medio de todos esos acontecimientos intempestivos y absurdos, Juanito comprendió que se sentía completamente feliz. Ahora tenía la posibilidad de convertirse en esa especie de héroe que comprende y puede salvar el espacio, como tanto había soñado. Con una voz que no parecía suya, le recriminó a su profesor: —Ay, Pacho, no complique más las cosas. ¡No perdamos tiempo y vámonos!

Abdi hizo un intento por calmar al profesor: —Los vigilantes del universo como Ixss, y como nosotros tres ahora, debemos velar por que las civilizaciones de los diferentes planetas no alteren las fuentes de energía que sostienen el universo. De lo contrario, se producirán graves cambios en sus estructuras moleculares e incluso podrían desaparecer civilizaciones enteras.

Juanito terció en la explicación con aire de sabelotodo: —Los vigilantes del universo crearon hace miles de millones de años polos en los diversos planetas para mantener interconectados estos flujos energéticos y poder regularlos cuando se produjeran alteraciones.

—Las pirámides y la Esfinge son unos de esos polos y a través de ellas hay que tratar de restablecer el flujo de energía que los habitantes de la Tierra hemos alterado. Claro que tenemos que estar atentos y ser cuidadosos, porque existen algunos riesgos —completó Abdi.

—¿Riesgos? ¿Te parece poco lo que nos está pasando? ¡Estamos a miles de kilómetros de nuestra casa, nadie sabe nada de nosotros, viajamos por los cables de un computador y ahora hablamos de extraterrestres como si se tratara de niños de colegio! —dijo alterado el profesor—. Y a propósito, Juanito, ¿dónde aprendiste todo eso?

—Pues en el viaje —contestó el niño, como si fuera la cosa más común aprender sobre el universo en los breves segundo que duró su desplazamiento desde Colombia hasta Egipto.

La búsqueda

Mientras tanto, al otro lado del océano, en la casa de Juanito estaban en pánico. Sus padres habían llamado varias veces a preguntar por él a la casa del profesor y, por supuesto, nadie contestaba. La vieja tía seguía durmiendo plácidamente en el sofá, olvidada del mundo, y a la gata Gertrudis, la única testigo de todo, no le salía ni un *miau* después del susto que había pasado. Naturalmente, no tardaron en llamar a la policía. La recepcionista de la estación los comunicó en seguida con el mismo capitán que había dirigido los operativos en el colegio aquella tarde.

—¿Qué? ¿Desaparecieron? Esos dos se traen algo entre manos... —afirmó el capitán y llamó de un grito al agente Flores para que lo llevara hasta la casa de los Chonta.

Tuvieron que forzar la puerta para poder entrar. El capitán entró dando alaridos,

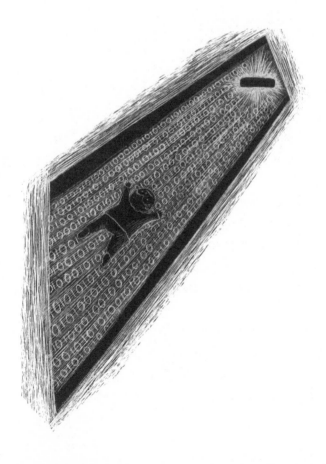

pero Flores descubrió a la tía profundamente dormida en el sofá. Se acercó a ella y la observó en silencio; y concluyó que no parecía representar inconvenientes. La despertó con cuidado. Trató de pedirle que no se asustara y luego le gritó varias veces al oído para explicarle lo que estaba sucediendo. La tía asentía, pero era imposible saber si entendía las palabras de Flores.

Flores se reunió con el capitán, que inspeccionaba la habitación donde estaba el computador. Pasó la mano cariñosamente por la pantalla y reconoció su interés por estos aparatos.

—Yo siempre he querido tener uno de estos, mi capitán. No sé cómo se usan, pero, si llego a tener uno, voy a ser doctor —aseguró ingenuamente.

—Déjese de estupideces, Flores, y siga buscando a ver si encuentra algo sospechoso.

Flores rozó el ratón del computador y activó de nuevo la pantalla que estaba dormida. La luz verde y traslúcida llenó toda la habitación y los envolvió a los dos. En cuestión de segundos la pantalla se los tragó y los llevó por el laberinto de la red a una velocidad vertiginosa. Sólo quedó en la habitación el eco de la voz del capitán, que regañaba a Flores.

Poco después salieron escupidos por la pantalla del computador de Abdi.

Tan pronto como aterrizaron en la habitación, el capitán desenvainó su pistola.

—Agente, levántese, no sea idiota. ¿Qué fue lo que hizo? ¿Dónde estamos? ¡Haga el favor de explicarse! ¡Esto es una conspiración del profesorcito ese! Seguro que secuestró al alumno. ¡Explíquese, Flores!

Flores, que todavía estaba aturdido, sólo atinó a balbucear unas palabras: —Uy, mi capitán, ¿qué fue eso? ¿Dónde estamos?

La furia del capitán era tal que le dio un golpe a Flores en la cabeza. —Apúrese, Flores, vamos a buscarlos donde quiera que estén —y entró al cuarto del lado, que era una especie de salita muy modesta, donde encontró una pista—. Mire, Flores, la gorra que tenía el tal Juanito. Ellos están por aquí, vamos a buscarlos.

Cuando salieron de la casa, se encontraron en medio del bullicio del bazar del Cairo. Ahora sí que no entendían nada. La multitud de comerciantes y compradores era tal que difícilmente podían avanzar. Todo el tiempo se estrellaban con personas

vestidas de túnicas largas que les gritaban en un idioma que les resultó incomprensible. Se estaban volviendo locos.

Mientras tanto, Juanito, Abdi y Pacho iban hacia las pirámides y la Esfinge en un autobús de turistas. Por idea de Juanito, Abdi se había vestido con *jeans* y camiseta y se haría pasar por alumno del profesor.

Una patrulla de policías egipcios se topó con el capitán y el agente Flores. Los uniformes les parecieron falsos y, ante su actitud sospechosa, decidieron detenerlos y llevarlos a la comisaría. De nada sirvieron las pacientes explicaciones de Flores ni los berridos del capitán para hacerse entender. Uno más fuerte que él lo agarró y le puso unas esposas.

Los policías del El Cairo finalmente mandaron por un intérprete, pensando que se trataba de peligrosos delincuentes internacionales. En el interrogatorio el agente Flores reconoció que para llegar hasta allí se habían metido dentro de un computador. Entonces el interprete lo miró incrédulo, le repitió la pregunta por si no se había hecho entender y, al recibir la misma respuesta, le hizo disimuladamente la señal de locura al comandante egipcio que presidía el interrogatorio. Quedaron detenidos mientras investigaban su procedencia.

Con la descripción de la casa donde habían caído, la policía egipcia allanó la modesta vivienda de Abdi, decomisó el computador y emprendió la búsqueda del trío subversivo.

Mientras el capitán levantaba a gritos la comisaría, el profesor Chonta, Juanito y Abdi llegaron a la pirámide de Keops. Esperaron el momento de entrar, ansiosos y confundidos entre las filas de turistas.

Durante el trayecto, Abdi les había explicado que tenían que encontrar un jeroglífico que estaba grabado, entre muchos otros, en la pared del fondo de la cámara mortuoria. El jeroglífico se iluminaría cuando un ser de luz, como ellos, se parara en un punto de la cámara que Abdi les indicó con precisión. Así que lo de menos sería entrar a la cámara mortuoria. Lo complicado sería sacar los datos del jeroglífico en unos segundos sin que se pudiera tomar fotos o tocarlo.

Habían imaginado varias maneras para conseguir la información sin levantar sospechas. Finalmente optaron por lo más arriesgado pero efectivo: calcarlo. Mientras uno de ellos pisaba el punto indicado para que el jeroglífico se iluminara, el otro le sobrepondría una hoja y rayaría sobre él rápidamente con un lápiz. Para hacerlo necesitaban distraer a los guardas. Abdi sería el sacrificado: tendría que arrebatarle el bolso a una turista y echarse a correr.

Esperaron el momento de mayor congestión. Cuando los turistas alemanes llegaron como una horda en varios buses, se colaron en la fila.

Cuando el primer grupo apeñuscado de turistas iba llegando al fondo de la cámara mortuoria por el estrecho pasadizo, Abdi le arrebató el maletín a una alemana gorda, rubia y sofocada, que apenas si conseguía desplazarse por el túnel. Los gritos y el desorden no se hicieron esperar, mientras Abdí subía raudo hacia la salida y gritaba, para aumentar la confusión, que había un turista desmayado allá abajo. Los turistas, como hormigas desorientadas, se tropezaron en su afán por subir o bajar, impidiendo la acción de los guardias. La confusión fue tal que el profesor Chonta y Juanito se quedaron solos un par de minutos en el fondo de la bóveda. Pacho se paró entonces en el punto indicado y un pequeño jeroglífico brilló entre los demás. No podían creer lo que veían. Juanito intentó serenarse y corrió para calcarlo.

Ya se oían las sirenas de la policía y los turistas comenzaban a recuperar la calma y a regresar con paso temeroso a la cámara. Juanito, caminando en reversa, empezó a salir seguido del profesor, que ahora parecía más agitado y nervioso que los turistas alemanes.

Cuando llegaron a la entrada, vieron que Abdi estaba en manos de la policía, inventando explicaciones. Le habían quitado el bolso y ya se aprestaban a meterlo en una radiopatrulla. Juanito quiso ir en su ayuda, pero el profesor lo detuvo en seco.

—¡Espera! ¿Qué crees que puedes hacer? No podemos inmiscuirnos. ¡Tenemos que irnos!

—¿Y Abdi? —repuso Juanito, preocupado de ver a su nuevo amigo en problemas.

—Ya veremos —contestó el profesor Chonta, resignado al comprender que la misión era más importante.

Rápidamente tomaron un autobús y desde la ventana trasera se alejaron del alboroto.

Juanito y el profesor llegaron hasta la casa de Abdi y se introdujeron por una

ventana. Adentro no había nada, ni nadie. Y advirtieron que se habían llevado el
computador.

—¿Y ahora? ¿Cómo vamos a contactar a
Ixss? —gritó Juanito.

El profesor se derrumbó: ahora estaban
sin Abdi, sin computador, sin Ixss y la policía les pisaba los talones.

—Estamos perdidos.

Juanito se quedó pensando y de pronto
se le ocurrió la solución: —No, no estamos
perdidos. Podemos llamar a Colombia y
hablar con Dolores. Ella hace lo que sea
por usted, profe.

Buscaron una cabina y llamaron por
cobrar. A esas horas era de noche en Colombia. Dolores ya estaba dormida y sólo
hasta después de varios repiques atinó a
levantar la bocina. Pacho la saludó emo-
cionado y le explicó atropelladamente lo
que les estaba pasando. Ella no podía creer
lo que alcanzaba a entender de semejante
relato alocado.

—¿Pacho? ¿Dónde está usted? ¿Y Juanito? Aquí todos están desesperados buscán-
dolos. Los policías que estaban investigan-
do el caso también desaparecieron.

Pacho la calmó: —Tranquila, Doloritas, no puedo decirle dónde estamos, pero estamos bien. ¡Créame! Sólo necesitamos un favor, y es urgente. Usted tiene que ir a la casa de Juanito y encender el computador.

—¿Yo?

—Sí, invente cualquier excusa. Es urgente que busque un menú de jeroglíficos egipcios y que digite estos signos que voy a describirle —el profesor Chonta le dio las señales para establecer contacto. Y para que ella se tranquilizara un poco, la dejó cruzar dos palabras con Juanito.

La consejera seguía sin entender nada, pero no dudó de que debía actuar rápidamente, así que se fue para la casa de los Pinzón. A esas horas de la noche, les contó a los angustiados padres de Juanito que había hablado con Pacho y con el niño, que estaban bien, pero que necesitaban urgentemente una información del computador.

—¿Del computador? Bueno, pero no entiendo para qué —dijo el papá, que decidió llamar en ese mismo instante a la policía.

Para controlar el llanto, la mamá de Juanito bajó a la cocina a preparar café. Dolores se quedó sola con Rocky, que no se había apartado ni un segundo de la cama de su querido amigo.

La luz del mal

Dolores no podía sospechar lo que le sucedería a continuación. Cuando se sentó frente al computador, buscó en el menú de símbolos y encontró unos signos muy parecidos a aquellos que Pacho le había dictado. Los escribió en la casilla de búsqueda de internet y esperó. En cuestión de segundos la pantalla comenzó a ablandarse. Una extraña luz intensamente roja inundó la habitación. Ella sintió un escalofrío de miedo. La luz la envolvió muy pronto y se los tragó a ella y a Rocky en un instante.

Antes de que Dolores hubiera podido conectarse con Ixss, uno de los seres que buscaban desestabilizar la energía del universo se interpuso. Dolores gritaba, mientras viajaba sin rumbo cierto por el ciberespacio, envuelta en una luz roja abrasadora. Pronto comenzó a sentir la voz de un tal Kass que le exigía información sobre el paradero de sus amigos. Ella estaba aterrorizada. ¿Qué podía decir? No sabía nada, ni mucho menos entendía lo que le estaba pasando.

Kass no solamente necesitaba conocer el jeroglífico. Su misión también consistía en destruir el lugar donde dicha clave se hallaba y acabar con aquellos que la conocían.

Dolores no entendía absolutamente nada de lo que estaba sucediendo y alcanzó a pensar que todo esto era una horrible pesadilla. Sin embargo, tenía claro que debía proteger a Juanito y a Pacho. Las preguntas se repetían, y Dolores sólo lograba gritar que no sabía nada, lo que era cierto: ¡ni siquiera conocía el paradero de sus amigos!

Después de un rato que le pareció interminable, salió disparada intempestivamente por la pantalla del computador de

Juanito. Esperó a que Rocky saliera detrás, pero no hubo ni rastro de él.

Mientras esto sucedía, los padres de Juanito hablaban con la policía en el salón. Dolores se quedó unos instantes pasmada por el mareo y por lo que había sucedido. ¿Y dónde había quedado Rocky? ¿Cómo podría ayudarle a regresar?

En ese momento empezó a aparecer la luz traslúcida y verde de Ixss. Dolores se aterrorizó y no pudo moverse. Ixss logró calmarla con el zumbido relajante que siempre lo acompañaba. Dolores aún no podía creer todo lo que estaba pasando. Sin embargo, Ixss pudo explicarle lo que acababa de pasar y le advirtió sobre el grave peligro en el que se encontraban todos. Le pidió el jeroglífico y ella extendió el papel en el que lo había escrito como mejor había podido. La luz verde envolvió el papel y desapareció por la pantalla, que se apagó de un golpe.

El teléfono sonó en la habitación de Juanito y Dolores contestó. Era Pacho, que estaba desesperado por saber qué había ocurrido. Llamaba desde una central telefónica que a esa hora estaba desocupada y en la que había un par de computadores para conectarse a internet. El propietario los había mirado con recelo, pero los dejó hacer y salió un momento.

—Hasta que no logremos decodificar el jeroglífico, corremos un grave peligro. Manténganse a salvo. Kass los está bus-

cando.

—¿Kass? —gritó Pacho.

—Sí, un bandido intergaláctico del grupo de los destructores. ¡Y tiene a Rocky!

Kass se había quedado con Rocky para que encontrara a Juanito con su olfato. Bajo su influjo, Rocky le siguió el rastro a su amigo a través de las rutas del ciberespacio a una velocidad asombrosa.

Chonta y Juanito se disponían a salir cuando una luz brillante y roja invadió la central. Esta no era la luz serena y traslúcida de siempre, sino que era burbujeante y caliente. Juanito supo que se trataba de la luz de los enemigos, sobre la que Ixss le había advertido. Mirarla resultaba doloroso para los ojos. El terror se apoderó de Juanito y de Pacho, que ya no pudieron moverse.

Rocky salió disparado por la pantalla y, entre el miedo y la emoción, se lanzó sobre Juanito. En un instante, el niño vio cómo la luz roja embestía a Pacho de un solo golpe. El profesor cayó derrumbado por un rayo rojo que lo atravesó. Juanito se apartó de Rocky y se abalanzó desesperado sobre el profesor.

—¡Profe, profe! ¿Está bien?

Pacho no reaccionó. Juanito intuyó que, para salvarlo, debía hacer desaparecer esa luz y se le ocurrió algo que en otro momento no habría considerado siquiera: ¡destruir el computador! Antes de que la luz lo alcanzara, se lanzó contra el aparato y lo tiró al suelo. Con un tremendo estruendo el equipo quedó destrozado y la luz desapareció de inmediato.

Juanito, aterrorizado, intentaba despertar al profesor Chonta, sin conseguirlo. Le escuchó el corazón: ¡todavía estaba vivo! En ese momento llegó la policía respondiendo a la llamada del aterrado administrador de la central telefónica.

Todos fueron a dar a la comisaría: Juanito, Rocky y el pobre profesor, al que sacaron alzado, pues no había recobrado la conciencia.

Allí se encontraron con Abdi. Cruzaron miradas cómplices, aliviados y felices de verse; pero las cosas se complicaban porque ahora no tendrían cómo comunicarse con Ixss.

Los encerraron en un calabozo oscuro y húmedo, en el que no veían gran cosa. Del fondo de la celda, salieron unos ronquidos. Juanito se acercó con sigilo, sin hacer ruido, y pudo entrever a dos hombres vestidos con unos uniformes que le parecieron conocidos. Las dos figuras dormían a pierna suelta, aunque se veían algo maltrechos. Reconoció los rasgos del capitán de policía que había entrado intempestivamente en la oficina del profesor Chonta, en el colegio.

Regresó de prisa junto a sus compañeros y se sumió en la desesperanza. Pensó que todo había terminado.

—Será mejor que contemos todo —opinó Pacho cuando por fin se despertó y se dio cuenta de la situación.

—¿Contar todo? ¿Y quién nos va creer? ¿El capitán y el agente, o los policías egipcios? —preguntó Juanito—. Nooo, de esta tenemos que salir solos. Por algo Ixss confió en nosotros.

—¡Ya sé! —reflexionó Abdi—. Aquí en la comisaría hay un computador. Lo vi en la entrada. Mañana haré lo posible por convencer al guardia de que me deje utilizarlo. Algo me inventaré. Y, cuando lo haga, buscaré la página web en la que encontraste a Ixss. Él podrá sacarlos de aquí, mientras yo distraigo al guardia.

—¿Y si Kass vuelve a encontrarnos? —preguntó Pacho alarmado.

—Sólo se me ocurre una cosa terrible, pero creo que es lo único que podrá ayudarnos —dijo Juanito—. Si Rocky lo trajo hasta nosotros, él mismo podría alejarlo.

—¿Cómo? —preguntaron al mismo tiempo Abdi y el profesor.

—Haremos que Rocky entre a la pantalla con mi camiseta. Kass irá tras él, mientras nosotros regresamos a casa —aseguró Juanito.

Todo se planeó cuidadosamente. El niño amarró su camiseta al pescuezo de Rocky y lo abrazó muy fuerte, con lágrimas en los ojos.

A la mañana siguiente, Abdi le contó al guardia que era muy fácil ganar dinero haciendo apuestas por internet. Fue lo único que se le ocurrió para tentarlo. Al principio el guardia no le prestó mayor atención. Pero Abdi insistió tanto e inventó tantas historias sobre gente que se había hecho millonaria de la noche a la mañana, que el guardia se convenció. Y, para no perder esa gran oportunidad, lo sacó del encierro y lo dejó sentarse en el computador, aunque con mucha cautela, pues temía que su superior lo pillara.

—No se preocupe —le dijo Abdi—, usted me dice con qué números quiere apostar y se va a vigilar la puerta. Cuando gane, yo lo llamo.

La emoción del juego hizo que el guardia se olvidara de cerrar la reja de nuevo. Pacho y Juanito se quedaron quietos junto a la puerta, a la espera del momento preciso para salir acompañados por el fiel Rocky. Mientras tanto, el capitán y el agente Flores seguían profundos al fondo de la celda.

Mientras el guardia vigilaba la entrada, Abdi buscó la página web, temeroso de que Kass los encontrara primero. No tardó en encontrarla. La luz verde iluminó la comisaría y todos sintieron con alivio la presencia de Ixss. Y cuando Abdi le pidió que se llevara a Rocky para despistar a Kass, y que luego regresara por Juanito y por el profesor, un destello rojo alcanzó a opacar la luz de Ixss, que desapareció. Se trataba de la luz rojiza y caliente de Kass, que fue dominando la pantalla y llenando todos los espacios cercanos al equipo. Cuando el guardia que estaba de vigía regresó presu-

roso a ver qué pasaba, una fuerza maligna lo arrojó lejos. Hubo una humareda, como si él se estuviera quemando por dentro.

El profesor salió entonces de la celda para enfrentársele, dejando atrás a Juanito.

—¿Qué quieres? —le preguntó a la luz.

—La información de los jeroglíficos —sintió que le contestaba el rabioso Kass.

—No la tengo, se la llevó Juanito —le comunicó el profesor.

—¡Mentira! ¿Dónde está el niño? Sé que tienes la información y vas a morir por esconderla —replicó todavía más iracunda la malvada luz.

Entonces Abdi llamó a Rocky y corrió con él hacia el computador que se los tragó, a una velocidad inverosímil. Tanto que ni el malévolo Kass alcanzó a detenerlos.

—Allá van —gritó el profesor.

—¡Sí! Voy a perseguir el rastro de ese muchacho —murmuró Kass indignado—. Quédese aquí —le ordenó amenazante al profesor—. Ahora vuelvo por usted —y se zambulló en la pantalla detrás de Rocky y de Abdi, convencido de que perseguía a Juanito.

—¡Rápido, Juanito! —gritó el profesor—. ¡Busca a Ixss, antes de que regrese Kass!

El niño, asustado y tembloroso, se puso en contacto con Ixss. La luz verde traslúcida invadió el recinto, calmándolos.

Luego la luz abrió las celdas vecinas y liberó a todos los detenidos. El agente Flores y el Capitán ya se habían despertado y, al verse libres, no corrieron como los demás presos hacia la calle, sino que buscaron la fuente de luz y se encontraron con todos sus conocidos.

En esas estaban cuando la luz de Kass reapareció en la pantalla, trayendo consigo a Abdi y a Rocky. En medio de la algarabía por la fuga de los presos, los gritos de Abdi y los ladridos de Rocky, las dos luces se transaron en una feroz batalla de la que salían chispas de energía. Los objetos volaban por la habitación disparados por rayos verdes y rojos. El capitán se lanzó al suelo, descompuesto de miedo, mientras que el agente Flores se armó de un taburete que fue desintegrado por un rayo de luz roja. Rocky ladraba enfurecido tirando tarascazos a la luz de Kass, hasta que un golpe de energía lo envió contra la pantalla, que se lo tragó.

La luz roja era más fuerte. Ixss, con su traslucido color verde, se perdía por momentos frente al ímpetu de Kass. La luz verde se veía arrinconada, reducida casi a una llamita frente al poder rojo de la maldad.

—Juanito, ¡haz algo! —le gritó Abdi, que intentaba en vano desconectar el computador recibiendo un corrientazo cada vez que se acercaba a la toma eléctrica.

Juanito se había refugiado en el baño intentando protegerse de los rayos que volaban en todas las direcciones. Entonces vio un espejo colgado en la pared del baño y, sin pensarlo dos veces, lo descolgó y salió a enfrentarse valientemente con Kass.

—¡Nooo! —el niño sintió que la débil luz de Ixss le advertía el peligro.

Pero Juanito se tragó su miedo y se enfrentó al maligno Kass gritándole e insultándolo para que centrara en él su atención: —Basura intergaláctica, gusano de *bites*, cucaracha de internet.

Pero los insultos no daban resultado. El ser rojo no dejaba de atacar a Ixss, reduciendo su energía verde casi a cero. Entonces Juanito empezó a escribir en el computador la clave en jeroglífico. En ese momento, con una furia salvaje y como una ola gigante de luz roja, Kass se volteó hacia él. Juanito escuchó por adentro la débil advertencia de su amigo verde que volvió a extinguirse en la pantalla.

—¡Cuidado, Juanito!

El niño se enfrentó al bandido dirigiendo el espejo hacia el chorro vibrante de luz roja que este emanaba. El rebote de la luz en el espejo fue impresionante. Juanito salió despedido contra la pared y quedó inconciente, pero la energía maligna que retornó hacia el propio Kass lo destruyó en medio de una explosión de energía que deslumbró a todos.

Después, silencio...

Las luces se extinguieron. Sólo quedaron la oscuridad del calabozo y el murmullo de voces atemorizadas, que se preguntaban entre sí si estaban bien.

El profesor prendió un fósforo y el agente Flores otro. Buscaron a Abdi y al guardia para restablecer el fluido eléctrico. Cuando ya tuvieron luz, vieron a Juanito tendido en el piso. Le sangraba la cabeza.

El profesor se derrumbó: —Ay, Juanito, ¿qué te pasó?

Abdi lo consoló: —Todavía podemos salvarlo si logramos que Ixss regrese —y se dirigió al teclado para llamarlo—. Tenemos sólo unos segundos.

Todos rodearon a Abdi mientras escribía las palabras en la pantalla. Cuando faltaba sólo una letra, la luz comenzó a parpadear de nuevo y la inestabilidad de la energía borró la pantalla.

—De nuevo, ¡rápido! —gritaban todos a la vez.

—¡Silencio, calma! —ordenó alterado Abdi y se sentó de nuevo a teclear, esta vez con más cuidado. Se secó el sudor de la frente y, cuando consiguió teclear el último símbolo de la ecuación salvadora, la luz falló de nuevo por unos instantes.

—¡Oh! —gimió el profesor en la oscuridad.

—¡Por Alá! —gritó Abdi con terror.

Pero, en una esquina de la pantalla, la luz verde y traslúcida empezó a crecer, recuperando su fortaleza y calmando los ánimos del grupo.

Juanito se levantó sobándose la herida de la cabeza que comenzó a cerrarse ante los ojos sorprendidos de todos. La tranquilidad regresó a la cárcel. Abdi había alcanzado a escribir la clave para llamar a Ixss a tiempo. Ixss, por su parte, ya había recibido de manos de Dolores el jeroglífico para restablecer el equilibrio de energía y,

con ello, había evitado graves catástrofes en el universo.

Ixss se comunicó con el grupo y les agradeció el esfuerzo.

—Ahora debo irme —anunció la luz verde.

—¡No! —gritó Juanito, desesperado—. ¡Falta Rocky!

—Rocky… —contestó el extraterrestre—. Rocky no ha desaparecido. Simplemente se quedó en el ciberespacio, aunque también estará siempre en tu corazón. Ahora tienes que dejarlo libre, viajando a su gusto. Algún día regresará contigo a tu casa.

Después de estas palabras, Ixss se dejó ir por la pantalla del computador y arrastró consigo a todo el grupo hacia las avenidas velocísimas del ciberespacio.

Regreso con *delete*

Todavía la ciencia no ha logrado explicar muy bien qué pasa cuando se viaja a la velocidad de la luz. Se cree que a esa velocidad el tiempo se vuelve circular, de tal manera que el viaje siempre termina llevando al viajero al instante mismo del que partió.

Eso podría explicar por qué, cuando llegaron a Colombia, ninguno recordaba lo que había pasado. El agente Flores y el capitán reaparecieron en la casa del profesor Chonta y la vieja tía los sacó a coscorrones, furiosa por el susto que había tenido al encontrarlos en su sala. Abdi, Dolores, el profesor Chonta y Juanito se encontraron en sus respectivos hogares. ¿Y Rocky?

—¡Rocky! ¿Dónde está Rocky, mamá? —preguntó Juanito después de buscar a su fiel compañero por toda la casa.

—No se sabe nada de él, mi amor —contestó la mamá, después de haber buscado infructuosamente por su cuenta y entristecida por tener que darle esa noticia a su hijo.

Juanito se puso a llorar inconsolablemente.

Un tiempo después, sonó el timbre de la puerta de su casa. Era un nuevo vecino. Juanito abrió la puerta, seguido de su madre. Observaron al niño, pero su atención se dirigió a un perrito, un pequeño *pointer* que el niño traía en las manos.

—Supe que te gustan los perros y, como soy nuevo en el vecindario, te quiero regalar este cachorrito para que seamos amigos.

—¡Uy, qué lindo, mami! Mira, se parece mucho a Rocky.

—Sí, es hermoso. Muchas gracias —dijo su mamá.

Juanito cargó al perrito con mucho cuidado como si se tratara de un bebé.

—¿Qué nombre le vas a poner? —le preguntó su nuevo amigo.

—Un nombre bien raro —dijo Juanito—. Algo así como Ixss.

Todos soltaron la carcajada y el perrito ladró contento. Nadie lo notó, pero de los ojitos de Ixss salió un destello de luz verde que se encontró con los ojos del vecinito que, por cierto, dijo llamarse Abdi.

Entonces Juanito salió corriendo detrás de sus nuevos amigos. Los primeros amigos de verdad que tenía en toda su vida: Ixss y Abdi.

De lo que les pasó a los policías sabemos muy poco. Dicen que el agente Flores abandonó el servicio y que le entró un irreprimible deseo de ser técnico de computadores. En cambio, al Capitán no le fue muy bien tratando de explicar el cuento de unos egipcios que decía que había conocido.

Tal vez el pobre capitán se retrasó en el viaje o se produjo una falla en la velocidad de regreso, porque fue el único que no olvidó la aventura. Pero, eso sí, es al que menos se le puede creer una historia como esta.